Para

com votos de paz

CB010075

DIVALDO FRANCO
PELO ESPÍRITO
MARCO PRISCO

Renove-se

SALVADOR
1. ed. – 2017

© (2015) Centro Espírita Caminho da Redenção – Salvador (BA)
1. ed. (2ª reimpressão) – 2017
3.000 exemplares – (milheiros: do 8º ao 10º)

Revisão: Adriano Mota Ferreira
       Lívia Maria Costa Sousa
Editoração eletrônica: Ailton Bosco
Capa: Ailton Bosco
Coordenação editorial: Lívia Maria Costa Sousa
Produção gráfica:
     LIVRARIA ESPÍRITA ALVORADA EDITORA
     Telefone: (71) 3409-8312/13 – Salvador (BA)
     E-mail: <leal@mansaodocaminho.com.br>
     Homepage: www.mansaodocaminho.com.br

Dados Internacionais de Catalogação na Publicação (CIP)
(Catalogação na Fonte)
Biblioteca Joanna de Ângelis

F825	FRANCO, Divaldo Pereira.
	    Renove-se. 1. ed. / Pelo Espírito Marco Prisco [psicografado por] Divaldo Pereira Franco. Salvador: LEAL, 2017.
	    128 p.
	    ISBN: 978-85-8266-117-8
	    1. Psicografia 2. Reflexões morais I. Franco, Divaldo II. Título
	
	                                   CDD:133.93

Impresso no Brasil
Presita en Brazilo

SUMÁRIO

	Renove-se	7
1	Reflexões iluminativas	11
2	Liberdade responsável	13
3	Hábitos perniciosos	17
4	Religião e ciência	21
5	O momento agora	25
6	Desarmamento interior	27
7	Otimismo e coragem	29
8	O amor em ação	33
9	Busca e encontro	35
10	Visão otimista	37
11	Violência e não violência	39
12	Efeitos naturais	41
13	Não dê trégua	43
14	Compromisso	45
15	Observe e tente	47
16	Seu aval de felicidade	49
17	Programa fácil	51

18	Compromisso mediúnico	55
19	E você?	57
20	Benefício do conhecimento	59
21	Rotina e ideal	61
22	Trabalhar com alegria	63
23	Medicação evangélica	65
24	Terapia desalienante	69
25	Não se altere	73
26	Postulados simples	75
27	Destino e fatalidade	77
28	Construa a própria paz	79
29	Decálogo para a paz	83
30	Ante a precipitação	87
31	Autoconfiança	91
32	Ante a insolência	93
33	Seu compromisso	97
34	A presença do desânimo	99
35	Amor sem fronteiras	103
36	Serenidade e confiança em Deus	107
37	Redescubra-se	111
38	Irascibilidade	115
39	As bênçãos do agora	119
40	O tormento da culpa	123

RENOVE-SE

Cada vez mais aumentam desordenadamente o tumulto, as aflições e as lutas da criatura humana que anseia por paz, que lhe parece remota, ante as dificuldades de alcançá-la.

Convites ao desespero apresentam-se-lhe multiplicados, aturdem-na e desnorteiam-na, ao tempo que abrem espaço para transtornos emocionais, que se transformam em enfermidades persistentes e diaceradoras.

As incomparáveis conquistas tecnológicas, especialmente na área da comunicação virtual, desviam-na dos compromissos e responsabilidades que constituem o seu dia a dia, transformadas em distrações caras e atraentes para cuja conquista investem esforços de alto significado.

A falsa necessidade de encontrar-se em todo lugar ao mesmo tempo, de estar informado de tudo quanto acontece no mundo, sobrecarrega a mente de tragédias e desgraças que têm preferência nos noticiários e na exibição do whatsapp aureolado, não poucas vezes, por anedotário chulo e picante, quando não deprimente e agressivo, produzindo ansiedade que se converte em instabilidade emocional.

Ambições de felicidade apenas material, mediante o culto ao corpo, à projeção social, política, monetária, artística especialmente, e de todo porte, que envilecem o caráter, porque deve ser conseguida a qualquer preço.

O erotismo desenfreado e o abuso de substâncias, umas estimuladoras, outras ansiolíticas, dominam as multidões que se lhes submetem, sem que a maioria consiga recursos para os cuidados psicoterapêuticos indispensáveis à reconquista da saúde.

Predominam o desgoverno da emoção, o pessimismo, os desencantos, porque cada qual possui anelos que não são logra- dos, o que produz perturbação mental e falta de interesse pela aquisição de um objetivo psicológico que proporcione harmonia.

A perda da ética, dos relacionamentos saudáveis, das tradições da família e do cultivo dos sentimentos bons e nobres, contribuem expressivamente para a derrocada dos valores da civilização e da moral.

Nessa voragem de perturbações, a solidão, a ansiedade, o medo assomam e a existência torna-se vazia, a um passo da depressão que se transformou em lamentável pandemia.

O ser humano intelectualizado e sob a ação de incontáveis instrumentos tecnológicos que se destinam ao seu bem-estar, estertora, nestes dias, em sofrimentos inumeráveis.

O apego ao prazer em demasia desconserta-o e domina-o.

Não desconhecendo o desconforto que toma conta do deambulante carnal, nosso querido irmão ou querida irmã em jornada evolutiva, anotamos algumas propostas que podem facul- tar alegria de viver e brindar orientação no rumo da plenitude.

São diretrizes simples e de fácil prática, porque se fun- damentam no Evangelho de Jesus, que se encontra à margem dos compromissos assumidos pelas vítimas do infortúnio e dos tormentos que avassalam.

Todos podemos e devemos renovar-nos, realizando experiências iluminativas que nos capacitem a discernir e viver o melhor comportamento social, espiritual e humano.

Através da reflexão e do legítimo autoamor, será possível conseguir-se a renovação mental, emocional e de conduta, desfrutando o inefável prazer de viver e de lutar.

Esperamos que as nossas sugestões encontrem guarida nas mentes e nos sentimentos daqueles que nos honrarem com a sua atenciosa leitura.

Salvador, 15 de abril de 2015.
MARCO PRISCO

1
REFLEXÕES ILUMINATIVAS

Forte é todo aquele que consegue vencer as paixões primitivas e perturbadoras, em batalha silenciosa no íntimo.

Sábio é todo aquele que, através do relativo conhecimento que possui, identifica a ignorância de que ainda é portador.

Poderoso é o indivíduo que se faz franco para superar a inferioridade, esforçando-se sempre e sem cessar.

Humilde é o indivíduo que não se jacta da própria simplicidade.

Herói é o ser que silencia os feitos, a fim de que as suas vitórias não sejam exaltadas.

Gigante é o ser que consegue avançar triunfando na senda sem chamar a atenção dos demais.

Conquistador é o ser que domina as paisagens do coração.

Vencedor é o ser que superou os limites e conseguiu servir sem gerar qualquer problema para os demais.

Apóstolo é o ser inteligente que se faz exemplo do que ensina, mais pelos atos do que pelas palavras.

Missionário é o ser lúcido e consciente da responsabilidade, que sabe conduzir a cruz do amor pelo próximo, transformando-a em sublime instrumento de libertação.

O homem e a mulher de bem jamais se exaltam ou glorificam o que fazem. Por isso mesmo, tornam-se respeitáveis e sensibilizam as demais criaturas que lhes seguem os exemplos dignificantes.

O verdadeiro líder desconhece a ufania de comandar e por isso conduz com nobreza e naturalidade.

Decantam-se os valores do Bem e as pessoas que se lhes afervoram, não poucas vezes, deslustrando-lhes os objetivos, em face da soberba e da presunção, da vaidade e da jactância de que dão mostras.

A simplicidade de coração e o equilíbrio da razão constituem fatores de fundamental importância para o êxito em qualquer empreendimento pelo triunfo pessoal sobre o egoísmo.

★

Faça uma reflexão tranquila sobre o seu comportamento, recue aos seus pensamentos e conclua que é muito fácil ser feliz, conseguir a espiritualização, bastando somente considerar a transitoriedade do corpo e a perenidade da Vida.

Tenha em mente que você se encontra em viagem de volta para o Grande Lar e que somente poderá levar aquilo que caiba na sua mente, no seu coração, frutos das experiências iluminativas da sua caminhada.

2

LIBERDADE RESPONSÁVEL

Livre é todo aquele que busca a autoiluminação.

Optando entre os valores que se lhe encontram à disposição durante a viagem carnal, elege os existenciais, que proporcionam *ser,* ou os terrestres, que facultam *ter.*

Sendo, realmente, livre, associa o *ter* ao *ser,* e com os recursos adquiridos transforma o mundo em escola de renovação, oferecendo a outros oportunidade de trabalho, dignificando os que sofrem, ampliando os horizontes da esperança na sociedade.

A liberdade responsável constitui aquisição de alto significado, em face da compreensão dos próprios como dos alheios direitos.

Você é livre para ser feliz, desde que se propicie as realizações enobrecedoras.

Você é livre para agir devendo antes estabelecer parâmetros que lhe proporcionem equilíbrio e conquistas internas de harmonia.

Você é livre para trabalhar ou viver ociosamente, cujos resultados dar-lhe-ão dimensões dos seus significados.

Você é livre para conquistar o infinito, voando nas asas da sabedoria, mas também é livre para manter-se agrilhoado à ignorância e ao crime.

Você é livre para a bênção da alegria plena, conduzindo-se de forma que o amor deixe pegadas de bondade pelos caminhos percorridos.

Você é livre para amar, não podendo impor o seu sentimento, antes o mantendo como um aroma que, em se exteriorizando do seu mundo íntimo, perfuma em derredor.

Você é livre para cultivar lixo mental e sofrer-lhe os miasmas tóxicos.

Você é livre para sonhar com o futuro ditoso, mas transforme o sonho em planejamento e em construção.

Você é livre para deixar-se consumir pelas paixões perversas, arrastando-se penosamente por toda a existência física.

Você é livre para ampliar as fronteiras da fraternidade, mantendo-se acessível ao bem.

(...) Você é livre até para fazer todo o bem possível, quando as opções mais comuns são aquelas que dizem respeito à indiferença ou aos mórbidos prazeres do mal.

Nunca tema o amor, porque através dele você cada dia se torna mais livre e responsável.

A liberdade resulta de como interiormente você considera a existência, desenovelando-se do passado e abrindo-se em relação ao futuro.

Jesus advertiu-nos, propondo-nos: *"Busque a verdade e a verdade o libertará."*

Ser livre, sem dúvida, é autoiluminação, trata-se do ensejo de encontrar a verdade que ficará introjetada no âmago do ser.

3

HÁBITOS PERNICIOSOS

O ser humano desenvolve-se graças à aquisição de valores intelectuais e morais que insculpe no íntimo, transformando-os em atitudes comportamentais.

Como consequência, quem não tem bons comportamentos possui hábitos perniciosos, que se lhe convertem em dependências cerceadoras do progresso moral e espiritual.

Da mesma forma que esses condicionamentos se instalam no Espírito, um a um, ou procedem dos instintos primitivos, devem ser removidos, desde o momento em que o ser desperta para a sua realidade imortalista.

Quase sempre, por acomodação, a pessoa reluta em alterar a paisagem íntima, permanecendo, sem esforço, aplicado na superação dessas imperfeições.

Assim considerando, é necessário que se estabeleça um programa de autorrealização, de libertação dos atavismos infelizes.

Você renasceu para triunfar, e se encontra no esforço da evolução para ser feliz.

Desde que ninguém consegue viver sem hábitos, a primeira condição para a aquisição da saúde moral é substituir um mau por outro bom comportamento.

Relacione, desse modo, as suas dificuldades, por ordem de gravidade, e empenhe-se, com honestidade, em liberar-se delas.

Eleja, cada semana, aquela que lhe pesa na economia emocional, e trabalhe-a, substituindo-a pelo seu oposto.

Intente alterar a conduta, mudando a ordem de raciocínio e fixando aquele que seja otimista, promissor.

Lentamente você perceberá que o esforço produz frutos sazonados.

Passe a outro problema de vício mental, moral ou comportamental, e realize o mesmo trabalho.

Ao terminar a lista, recomece-a, e dar-se-á conta das alterações positivas que conseguiu, até o momento em que se sentirá transformado, inteiramente livre.

Incorporando, ao dia a dia, as ideias superiores, que se tornarão hábitos saudáveis, mais fáceis se lhe farão as futuras conquistas.

Não postergue a tentativa de tornar-se melhor.

Não considere dificuldades ante o empenho que lhe cabe fazer.

Se não conseguir o êxito almejado, recomece quantas vezes se tornarem necessárias.

Toda conquista relevante se inicia no plano mental, passando para as experiências humanas e, repetindo-se as tentativas, culminam em êxito.

Você é herdeiro da Vida Triunfante.

Nunca duvide das suas possibilidades, nem subestime os valores que o enriquecem e você ainda não desejou deles assenhorear-se.

Os bons hábitos plenificam o ser. Cultive-os.

4

RELIGIÃO E CIÊNCIA

A religião induz.
A ciência instrui.

★

A religião inspira.
A ciência comprova.

★

A religião para o *Logos*.
A ciência labora para o intelecto.

★

A religião é vertical para a Vida.
A ciência é horizontal da vida.

★

A religião leva à introspecção.
A ciência favorece a extroversão.

★

A religião liberta dos haveres.
A ciência propõe o acúmulo deles.

★

A religião ilumina o Espírito.
A ciência parte do corpo atendido em busca do Espírito a ser atendido.

★

A religião é intuitiva.
A ciência é analítica.

★

A religião religa a criatura ao seu Criador.
A ciência demonstra e confirma a glória do Criador.

★

"A religião sem a ciência é cega, enquanto que a ciência sem a religião é capenga" – conforme afirmou o sábio Albert Einstein, após acuradas reflexões.

A religião não necessita da ciência, assim a ciência não a necessita, o ser humano, no entanto, não pode passar sem as duas.

★

A religião aponta o caminho para a felicidade e faculta os recursos da fé e da coragem para conquistá-la.

A ciência estabelece parâmetros da ação, suas finalidades e meios de o homem, conhecendo-os, entregar-se a Deus, no seu natural processo de crescimento e de sublimação.

★

Religião e ciência são os caminhos seguros, por meio dos quais o homem de consciência se transforma em cocriador na obra de edificação da sociedade feliz do futuro.

5

O MOMENTO AGORA

Em um momento:

A tristeza se instala no seu sentimento.

A alegria altera a paisagem íntima.

A lágrima estanca na emotividade em desequilíbrio.

O sorriso fixa o clima de sua renovação.

A má notícia chega, desastrosa.

A expectativa do bem lhe enobrece a vida.

O amigo se revela, fazendo-lhe companhia.

A enfermidade se torna conhecida.

A fortuna se lhe faz presente.

Muitos bens entesourados durante muito tempo desaparecem.

A desencarnação ocorre.

A vida modifica o seu curso...

Em um momento, o que parece dádiva de paz se transforma em preocupação, assim como aquilo que se anuncia danoso converte-se em bênção de alto significado para a vida.

★

A existência física é feita de momentos que se transformam em programas inesperados, capazes de facultar-lhe a evolução, se você souber conduzir-se com os necessários equilíbrio e probidade.

Ante o momento infeliz, aja com ponderação, de modo a retirar dele os melhores resultados.

Em face do momento ditoso, conduza-se com a indispensável harmonia, a fim de convertê-lo em largo benefício capaz de dar-lhe forças para suportar as naturais mudanças que a vida sempre impõe.

Um momento na vida representa alta concessão de Deus que, aproveitado convenientemente, propõe outros momentos nos quais transcorrerá a sua jornada iluminativa.

Seja este o seu instante de ajudar, de crescer e de ser feliz, não o postergando para outra ocasião que, talvez, não venha a ocorrer, pelo menos nas circunstâncias favoráveis que no momento agora você desfruta.

★

Faça a sua parte da melhor maneira possível.

6

DESARMAMENTO INTERIOR

Todos os planos em favor da paz são de relevante valor e contribuem, enormemente, em prol do entendimento entre os povos.

É indispensável, porém, que as criaturas se exercitem na tarefa do desarmamento interior.

Pequenos esforços individuais de hoje redundarão na paz mundial de amanhã.

Senão, vejamos como fazê-lo:

Enfrente o maledicente com a alma desvestida de mágoa.

Contemple o acusador, desarmado de cólera.

Conviva com o adversário, sem revidar-lhe a trama agressiva.

Acompanhe o violento, sem disparar-lhe ondas mentais de revolta.

Dialogue com o delinquente, sem que você se arvore a justiceiro.

Considere o ofensor como enfermo em tratamento, não sintonizando com a sua faixa perigosa.

Unja-se de piedade pelos maus, oferecendo-lhes compreensão e amizade.

Converse, edificando, sem atirar petardos ferinos naqueles de quem você conhece as imperfeições.

Ensine ao equivocado, sem revolver-lhe as feridas morais em cicatrização.

Combata as suas imperfeições pessoais e seja bondoso para com aqueles que não logram esse esforço.

Não se coloque contra a guerra, mas esforce-se para ser a favor da paz.

Quem se manifesta contra, arma-se, enquanto que todo aquele que fica a favor da paz, ama.

Essas são as melhores técnicas de que você se pode utilizar para contribuir em favor do desarmamento mundial.

7

OTIMISMO E CORAGEM

Você está destinado ao sucesso.

Não serão os pequenos dissabores que o irão atormentar, impedindo-lhe a realização dos altos objetivos da sua preciosa existência.

Se você falhou em algum empreendimento, tente outra vez. Ninguém logra as altas metas da existência sem o exercício que se realiza em forma de erros e de acertos.

Você promove o seu próprio sucesso.

Cada tentame realizado ensinar-lhe-á a melhor maneira de executá-lo numa outra ocasião.

A vida é feita de contínuos desafios, e somente quem insiste com otimismo e coragem consegue crescer e progredir.

Nunca desista de levar adiante os seus planos de enobrecimento.

O que pode parecer insucesso, num momento, é, em realidade, uma forma de ensinar a fazê-lo corretamente noutra ocasião.

Todo aquele que, ao tombar, permanece desanimado, perde tempo e oportunidade de alcançar a meta.

★

As oportunidades felizes estão sob os seus pés.

Aprenda a descobri-las e, encontrando-as, não as perca de vista.

Quem se recusa a buscar o sucesso, certamente não o merece.

★

Pense positivamente em qualquer ocasião.

A ação do seu pensamento será fator de alta importância em todo empreendimento que você encetar.

Faça, porém, do seu pensamento positivo uma força constante e tudo se lhe tornará mais fácil no que diz respeito à aquisição do bem, da paz e da alegria de viver.

★

Espere sempre pelo melhor em todas as situações.

Conforme você encarar muitos acontecimentos, assim eles se lhe apresentarão.

Muitas gemas preciosas desfrutam de valor porque são menos comuns e a ganância humana as disputa com avidez.

★

Busque enfrentar os seus problemas com criatividade.

Identifique cada situação difícil e descubra a forma correta para solucionar o impasse.

Quem age com precipitação, dificilmente acerta nos detalhes.

Mantenha a sua irrestrita confiança em Deus.

Recorde-se do ensinamento do apóstolo Paulo, em carta aos filipenses, conforme anotado no capítulo quatro, versículo onze: *"(...) Aprenda a viver contente em toda e qualquer situação."*

Assim, tudo quanto lhe acontecer, se você preservar o otimismo e a coragem nos momentos menos ditosos, estará a caminho do futuro sucesso.

8

O AMOR EM AÇÃO

Quando você se dispõe a amar, a paisagem se apresenta reverdecida na sua emoção:

O caos pode ser transformado em esperança e o sofrimento diminuído mediante a sua atividade.

A noite adquire beleza e convida-o à contemplação dos astros, mas se por acaso surgir carregada pela tormenta, você vence a violência do tempo e lhe diminui as consequências desagradáveis.

Você enseja oportunidade fraternal ao adversário, até mesmo olvidando-lhe a ofensa, distendendo-lhe mãos amigas ao combalido, dispondo-se a ajudá-lo.

Sorri, amistoso, ao ofensor, e é capaz de o desculpar, superando mágoas e olvidando-as.

O amor, quando invade os sentimentos humanos, anuncia-se, modificando os conceitos infelizes e descerrando os crepes que escondem a beleza da existência.

Quando o amor domina o coração do ser humano, nenhum mal parece fazer-lhe mal, perseguição alguma o descoroçoa e o desânimo nunca o vence.

O amor é de origem divina, e, por isso, quando alcança o íntimo da criatura, poderosa claridade se irradia do seu coração, tornando-o uma estrela que luz sempre, apontando o rumo da vitória com segurança.

Por isso, escreveu Lázaro (Espírito): *"Quando Jesus pronunciou a divina palavra – amor –, os povos sobressaltaram-se e os mártires, ébrios de esperança, desceram ao circo."*[1]

Ouvindo essa palavra por Jesus pronunciada, viva até à ebriez do amor fraternal, mesmo que ele o faça *mártir do circo da atualidade,* que ainda necessita de exemplos para acalmar os seus aficionados.

---

1 – *O Evangelho segundo o Espiritismo*, de Allan Kardec, Capítulo XI, item 8, 76ª ed. da FEB (nota do autor espiritual).

9

BUSCA E ENCONTRO

O conhecimento dá informações.
O amor conduz à verdade.

A inteligência descerra os véus da ignorância.
O sentimento descobre a verdade.

A razão argumenta com segurança e aponta o caminho.
O amor segue, vence as resistências e alcança a verdade.

O estudo arrebenta as algemas da escravidão ao erro.
O sentimento liberta para o encontro com a verdade.

Conhecimento sem amor gera soberba e impiedade.
Amor sem estrutura de conhecimento converte-se em capricho e loucura.

Por isso, é necessário que a mente e o sentimento se harmonizem para lograrem a sabedoria.

A inteligência busca entender Deus, mas só o sentimento penetra a Verdade, que é Deus.

10

VISÃO OTIMISTA

O seu estado de espírito responde pela forma como você conserva os acontecimentos e as pessoas.

Sob a emulação da alegria, tudo lhe sucede bem, em tons róseos.

Nos estados de ansiedade, os fenômenos são demorados e sombrios.

Com mágoas, os acontecimentos são martirizantes e difíceis de suportados.

Nas áreas do aborrecimento, os sucessos se tornam fastidiosos, quando não se fazem intoleráveis.

Ao ritmo do cansaço, as horas se apresentam intermináveis.

No auge das decepções, os fatos são trágicos ou desconcertantes.

Mude as *lentes* da sua visão e clarifique o ângulo das suas observações mediante a luz da confiança em Deus.

A fadiga, a rotina, as conversações pessimistas, as queixas contumazes perturbam as disposições positivas de qualquer pessoa.

Transfira-se mentalmente de posição e renove-se.

Elimine as *moscas* que pousam nas *feridas* do próximo e saem espalhando miasmas.

Você renasceu para ajudar a obra de Deus e está equipado com os instrumentos hábeis para esse cometimento.

(...) E quando estiver a ponto de desanimar ante a visão deprimente que o aturda, experimente perguntar-se: *"Como Jesus observaria tais acontecimentos?"*, assumindo, então, a disposição de prosseguir conforme Ele o faria em conjuntura semelhante.

11

VIOLÊNCIA E
NÃO VIOLÊNCIA

Você fala contra a violência e arma-se para combatê-la, assumindo uma postura chocante.

Este não é o momento de lutar contra, senão de trabalhar a favor da não violência.

Assim, desencoraje a força e desarme-se da agressividade.

Ame o bem, sirva ao antagonista e socorra o mau.

A indiferença ante a dor alheia é estímulo ao ódio de quem se contaminou de violência.

O descaso pela necessidade do próximo fomenta-lhe a mágoa que se transforma em agressividade.

A mão que elabora e firma uma lei injusta é irmã inditosa da que porta revólver e punhal na agressão urbana.

O preço escorchante de um produto de primeira necessidade é tão cruel quanto a conduta do alucinado que tripudia sobre uma vítima inerme.

A abundância risonha é responsável pela miséria em desequilíbrio.

Você tem um compromisso com a não violência.

Seja otimista e gere simpatia em sua volta.

Não revide às agressões, usando os métodos da violência.

Silencie o mal atuando no bem.

Não se trata de uma posição estática, porém, de uma atitude dinâmica.

Se você o conseguir, logrará também *contaminar* outrem e irradiar em volta essa conduta de paz.

Impregnando um grupo, parta para a coletividade que o espera.

Da mesma forma que é possível a alguém cultivar e viver a não violência, isto será igualmente realizável entre as nações, que assim se desarmarão do ódio e das paixões mesquinhas para trabalharem pela fraternidade universal.

Jesus, Buda, Francisco de Assis, Gandhi, milhares de heróis e santos, mártires e ases do amor já o conseguiram.

Agora é a sua vez, que você não deve postergar, por ser hoje o momento no qual a violência irrompe trágica e dominadora, necessitando com urgência da terapêutica da paz.

12

EFEITOS NATURAIS

Cultivando o azedume, você terminará na amargura. Sustentando a desconfiança, você viverá na inquietação.

Alimentando o medo, você sofrerá alucinações.

Caminhando sem cuidado, você tropeçará nos obstáculos da estrada.

Apontando os erros alheios, você se descuidará do próprio comportamento.

Apoiando a insensatez, você experimentará graves conflitos.

Mantendo a conversação malsã, você ficará impregnado de pessimismo.

Cooperando no bem, você se sentirá tranquilo.

Ajudando o próximo, você se descobrirá amparado.

Favorecendo a alegria geral, você irradiará luz.

Conversando com otimismo, você sentirá a felicidade de viver.

Propondo o perdão e perdoando, você respirará em harmonia íntima.

Estimulando a luta enobrecida, você se sentirá triunfador.

Confiando em Jesus, nenhum mal o alcançará.

★

Conforme você semeie, assim colherá.

Se, por acaso, as respostas imediatas diferirem da ação realizada, não se aflija nem desanime. Esses são os efeitos atrasados das ações anteriores, que se farão substituídos, logo depois, pelos resultados do seu comportamento último.

Nenhum mal o magoe.

Nunca magoe ninguém.

Semeie a luz do amor e do bem. Assim fazendo, você jamais caminhará em sombras ou desesperação.

13

NÃO DÊ TRÉGUA

Toda onda vibratória perniciosa que você arremessa contra alguém, a você mesmo prejudica.

Eis alguns exemplos:

A crítica formulada com acidez, primeiro desarmoniza quem a expressa.

A acusação violenta perturba, prontamente, aquele que a faz.

A irritação contra outrem de início dilui a tranquilidade na pessoa que a exterioriza.

O desejo de vingança maltrata o vingador.

O plano macabro entorpece os sentimentos naquele que o elabora.

A cobiça enlouquece o homem que a cultiva.

A competição desonesta atormenta o insensato que a vitaliza.

A belicosidade aturde e desgasta a criatura que a sustenta.

A inveja dilui a harmonia de quem a padece.

O ódio arde nos implementos da vida daquele que o alimenta.

★

São todos esses sentimentos negativos, filhos diletos do egoísmo, que se transformam em ácido a queimar e requeimar quantos não se esforçam por vencê-los.

Você renasceu para vencer o mal que ainda existe em si.

Não tente vencer os outros.

Não se dê trégua, enquanto o amor e a caridade para com o próximo e você mesmo não luzirem como farol bendito, guiando-o para frente e para a paz.

14

COMPROMISSO

A casa guarda o corpo.
A prece ampara a alma.

★

A indumentária agasalha o corpo.
A oração vitaliza a alma.

★

O medicamento restaura o corpo.
A boa ação retempera a alma.

★

O trabalho robustece o corpo.
A boa ação retempera a alma.

★

O esforço educa o corpo.
A disciplina impulsiona a alma.

★

As duas partes integrantes do complexo da vida física – corpo e alma – merecem todo o seu investimento possível, porquanto as ideias e ações partindo da alma para o corpo plasmam, através do perispírito, as formas e as futuras existências carnais, o destino feliz ou desventurado de cada criatura.

Corpo – efeito.
Perispírito – instrumento.
Espírito – causa.

Atende o corpo, mas não se deixe absorver pelo esquecimento das necessidades da alma.

15

OBSERVE E TENTE

Não agrida.
A sua agressividade somente lhe agrava o problema.

★

Não reaja.
Aja com serenidade em qualquer circunstância.

★

Não tema.
A confiança é arma de que você deve utilizar-se nos diversos cometimentos.

★

Não magoe.
A ofensa com que você vitima alguém abre brechas morais graves nas suas defesas pessoais.

★

Não imponha.
A conquista legítima resulta de uma exposição calma e feliz.

Não perturbe.

A sua paz merece respeito. Os problemas e a paz alheios exigem-lhe consideração.

Não deblatere.

A algaravia exacerbada produz animosidade gratuita.

Não odeie.

O ódio é combustível que se consome, consumindo quem o armazena.

Não desagrade.

Quem é digno de censurar a bajulação, é reprochável na acidez dos seus comentários agressivos e desairosos.

Não acuse.

Todos conduzimos problemas e dramas pouco recomendáveis, que nos não credenciam à posição de fiscais e acusadores das falhas do próximo.

Observando essas dez simples diretrizes, você se reeducará, investindo-se de paz e tolerância para uma vida social e cristã superior.

16

SEU AVAL DE FELICIDADE

Nunca desista de alcançar os objetivos superiores que a vida a todos nos faculta.

A dificuldade resulta dos problemas que nos negamos resolver.

Quando você quer algo e crê de difícil realização, torna-se difícil, mesmo que, em realidade, sua execução seja fácil.

Se você defronta uma atividade difícil e a crê impossível, ei-la, realmente, impossível.

Torne suas tarefas realizáveis, adicionando sempre o *tempero* do otimismo.

Quando você produz com alegria, mais simples se lhe tornam as complexidades.

Se você age com esforço bem-dirigido, o que agora não consegue, logrará mais tarde.

Ante o insucesso de uma produção, tente outra vez.

Todo ideal se torna realidade e todo sonho se transforma em ação graças aos erros e acertos.

Intentar fazer apenas o que não tem probabilidade de desacerto é candidatar-se à inoperosidade.

★

Não receies fracassar num tentame nobre.

A escada dos triunfadores é feita pelos degraus do esforço e pelos patamares dos fracassos. Porque eles não temeram insistir, chegaram às cumeadas do êxito.

De um fracasso, perfeitamente normal, o lutador diligente retira a lição de como já não deve proceder.

★

Não espere que de uma só vez, num momento, colha os resultados de sua ação.

Só o ódio e a destruição oferecem respostas imediatas.

O amor e o bem devem ser plantados com cuidados, a fim de que tenham tempo de responder através de uma colheita feliz.

O exemplo da semente merece consideração e acatamento.

★

Inste nos propósitos relevantes, mesmo que, aparentemente, os resultados sejam negativos.

Sempre surge a alvorada, quando a noite se encontra prenhe de trevas.

Não abandone, nunca, os seus deveres, por mais difíceis pareçam. Eles são o seu aval de felicidade para hoje ou para amanhã.

17

PROGRAMA FÁCIL

Desincumba-se dos seus deveres, evitando a algazarra e a agitação.

A luz vence as distâncias em silêncio.

Coopere com o bem de todos, não se considerando o mais importante na realização.

O Pai trabalha sem parar e Jesus age sem impor-se.

Informe com simplicidade e esclareça com palavras compreensíveis, quando convidado a tal.

As questões fáceis fazem-se difíceis e as difíceis impossíveis de serem entendidas, quando elucidadas com complexidades desnecessárias.

Seja autêntico em relação ao que crê, evitando exibicionismo de fé dispensável.

A simpatia não necessita de artifícios.

Cultive a amabilidade nos seus hábitos.

Seus costumes falam melhor de você do que as mais bem colocadas palavras.

Participe da conversação geral, quando instado. Todavia, não assuma um silêncio tumular como atitude de discrição.

As múmias não falam, porque não desfrutam de vida.

Quando alguém se equivocar em algum dado ou informe que você conhece, escolha o momento próprio para a retificação necessária.

Quem exibe o que sabe, ignora o que necessita saber.

Diante de comentários negativos e maliciosos, tente desviar a conversação e, se não o conseguir, procure não compartilhar do assunto.

Não há ninguém ou coisa alguma que não possua o seu lado bom, a sua finalidade.

Prefira auxiliar sem que o beneficiado conheça quem é o seu cooperador.

Mesmo ignoradas milhões de estrelas prosseguem brilhando.

Controle as suas emoções.

As graves enfermidades nascem do desequilíbrio do Espírito, que desarticula as engrenagens da mente e do corpo.

18

COMPROMISSO MEDIÚNICO

No processo medianímico das comunicações psicofônicas ou psicográficas das faculdades intelectuais, requisitos múltiplos fazem-se necessários e imprescindíveis.

Não basta possuir a mediunidade.

Impõe-se cultivá-la.

Mente desajustada – comunicação defeituosa.

Médium indisciplinado – fenômeno deficiente.

Caráter violento – intercâmbio desregrado.

Comportamento instável – fenômeno irregular.

Atitudes malconduzidas – intercâmbios vulgares.

O problema da mediunidade está afeto ao medianeiro.

Peça ajustada – equilíbrio na maquinaria.

O êxito do médium depende da sua conduta, no exercício moral da existência.

Pensamento em harmonia – sintonização com o bem.

Ante o compromisso da mediunidade que você deve abraçar com dignidade e segurança, não improvise momentos para o seu exercício, antes conduza as suas atividades de tal modo que o dever de exercer a mediunidade com equilíbrio lhe constitua elevado mister que não pode ser postergado.

Mediunidade – escada para a ascensão luminosa ou rampa que leva à alienação e à queda.

19

E VOCÊ?

Você identifica o avaro pela forma como ele se apresenta e se comporta em relação aos valores amoedados.

Você percebe o egoísta nas mínimas manifestações com que se expressa.

Você reconhece o mentiroso graças à frivolidade e insegurança com que ministra informações.

Você descobre o sexólatra em face da temática habitual em que se fixa.

Você vislumbra o atormentado pela maneira com que se faz notar...

Você sente a nobreza de alguém através da exteriorização de quem a conduz.

Você se apazigua, quando se encontra com o mensageiro da harmonia.

Você ama, mimetizado pelo magnetismo de pureza que o penetra.

Você ajuda, emulado pelo exemplo edificante e de abnegação que o impregna.

Você perdoa, ante a lição viva da renúncia e da necessidade de libertação emocional ao lado daquele que o ajuda emocionalmente.

Cada um inspira e oferece o que é, o que tem.

Uns refletem desajustes, paixões nefandas, mesquinhez, vícios e iras de que se encontram possuídos.

Outros inspiram a coragem, a caridade, a ternura, a união e a fraternidade de que se repletam.

Ninguém vive incólume a influência de outrem ou sem conteúdo de expansão.

Faça uma avaliação dos seus recursos e verifique se você é aquele que descobre os primeiros e não se contamina, se faz parte dos que estão contagiando, ou se integra o segundo grupo, quer exteriorizando, quer impregnando-se.

Analisando-se com honesto interesse, cresça e avance para a harmonia, auxiliando a obra de amor que ora vige entre as criaturas humanas em cujo contexto você está engajado.

20

BENEFÍCIO DO CONHECIMENTO

Informe-se a respeito da vida após a morte.
Você marcha para lá.

★

Procure conhecer as verdades espirituais.
Você não se furtará a defrontá-las.

★

Esclareça-se quanto aos fundamentos da vida.
Você não se encontrará, indefinidamente, no corpo.

★

Estude o *idioma* das relações da vida depois da vida.
Você não o dispensará.

★

Identifique-se com a Revelação Espírita.
Você, oportunamente, será convidado ao retorno...

★

Tente conduzir-se pelos *mapas* da Espiritualidade.
Você viajará para esse *país* quando menos espere.

★

Quem conhece o *idioma*, os *mapas*, os roteiros e os
hábitos de uma região, melhor se movimenta nela.

A morte, que interrompe o ritmo corporal, não produz mudanças substanciais no homem. Apenas o transfere
de posição vibratória.

A perturbação espiritual é fenômeno que decorre
da mudança de estado e das surpresas que assinalam o
recém-chegado ao estágio novo.

Não adie a oportunidade de saber o que é a vida espiritual e como se desenvolve, estudando e reflexionando nas
lições que são trazidas à Terra por aqueles que já transpuse-
ram as barreiras de separação existentes entre o plano físico
e o do espírito.

Nesse sentido, o conhecimento do Espiritismo se lhe
tornará uma terapia preventiva contra a perturbação espiritual. Aproveite-o.

21

ROTINA E IDEAL

Você afirma que a rotina mata qualquer ideal. Tal ocorre, porém, quando o ideal deperece no homem.

Se a rotina diminui o ânimo da sua realização, tenha cuidado.

O problema não é da monotonia repetitiva, mas da sua atitude mental perante o ideal que diz viver.

Se você descobre a impaciência nas realizações que antes o empolgavam, faça uma revisão dos objetivos abraçados.

Ponha o *sal* do amor nos seus serviços e modificar-se-á interiormente.

Se você passou a queixar-se e percebe que todos ao seu lado são imperfeitos e difíceis de suportados, recue nos conceitos doentios.

Ore e medite no ideal quando você iniciava o trabalho, a fim de que se renove sua paisagem mental.

Se você está armado contra os outros, acreditando-se a única pessoa capaz de realizar com acerto, tenha a coragem de dar oportunidade aos demais.

Cada pessoa é o que consegue e não conforme você é.

Se você se sente pessimista e receios injustificados lhe afloram ao pensamento, revitalize o seu ideal.

As ideias que não são discutidas e renovadas tendem a gerar depressão nos que as conduzem.

★

A repetição de uma tarefa como dever, por dever, tende a tornar-se pesada, desagradável fardo, difícil de ser conduzida.

Fiscalize sua atividade, enfrentando a rotina com o ardor do entusiasmo e o seu ideal sobreviverá sempre cheio de encantamento.

★

Os homens superiores sustentam os seus ideais quando o tempo parece vencê-los.

Ter ideias é comum. Manter ideais e entregar-se a eles com espírito otimista é desafio para os verdadeiros homens, particularmente para os cristãos autênticos.

22

TRABALHAR COM ALEGRIA

Não lhe constitua o trabalho a realizar, canga constritora e aflitiva.

O trabalho é bênção de Deus que fomenta o progresso e favorece a paz.

Diante das muitas tarefas a executar, evite o tumulto, a irritação.

Inicie o serviço por qualquer tarefa sem deter-se na escolha e o tempo o auxiliará na sua conclusão.

Considerando a variedade de compromissos a atender, resolva o primeiro com que se depare.

Grande prejuízo decorre do tempo mal-aplicado na seleção do que se deve e do que se quer realizar.

Assoberbado por deveres impostergáveis, saia do pessimismo, acreditando-se infeliz.

Inditoso é o homem que se recusa trabalhar.

★

Deparando-se com expressivo labor que o desafia, exerça a prudência de examinar as possibilidades e dê curso à ação otimista.

O trabalho é Lei da Natureza necessário a todos os seres, desde a busca do alimento à luta pela sobrevivência.

★

Favorecido pelas horas sobrecarregadas de benéfico mister, exulte e aja.

A hora desocupada constitui fator de desgraças inimagináveis.

★

Realize-se, ao considerar-se elemento produtivo na comunidade social onde se instala.

Excepcional inimigo da ordem é o desocupado que tem tempo para estimular a inutilidade e multiplicar o mal.

★

Os vadios sempre censuram.

Os desordeiros se caracterizam pela inutilidade perniciosa de que se fazem objeto.

Todos que trabalham a serviço da Humanidade, nos múltiplos aspectos da luta, fazem-se instrumentos de Deus, na construção do mundo nobre.

Trabalhe, portanto, com alegria. Trabalhe feliz.

23

MEDICAÇÃO EVANGÉLICA

Na atual conjuntura humana, e em face aos estados de agressividade e perturbação que se generalizam, produzindo enfermidades de difícil catalogação, quantos males outros, paralelos, não deve o cristão negligenciar as valiosas medicações evangélicas.

Examinemos algumas ocorrências mais constantes e as correspondentes terapêuticas imediatas.

Quando agredido, em qualquer circunstância ou sob qualquer aspecto da vida, use a resistência pacífica e a oração.

Se invadido pelo ressentimento em relação ao próximo, recorra à fraternidade e à oração.

Desde que visitado pela angústia ou pelo pessimismo, utilize-se do auxílio a outrem e da oração.

★

Irrompendo no imo a irritação e a cólera, exercita a calma e a oração.

★

Compelido ao ciúme ou açodado pela inveja, solicite o apoio da paciência e da oração.

★

Aturdido pelos vícios escravizadores, que parecem vencer as suas resistências morais, arroje-se ao trabalho exaustivo e à oração.

★

Relegado a plano secundário onde se encontra ou com o que faça, proponha-se a tolerância e a oração.

★

Picado pela maledicência e azinhavrado pelo azedume, faculte-se a confiança na vitória da verdade e a oração.

★

Invadido pelo desânimo e sentindo-se cansado, procure renovar a paisagem mental e o estímulo da oração.

★

Caluniado ou perseguido nos honestos propósitos, oferte-se o perdão a todo mal e a oração lenificadora.

A oração é ponte de sublime ligação com as fontes superiores da vida. Utilize-se, quanto possível, dos seus valiosos recursos, e recorde-se de que a muitos males se poupa o homem que ora e vive o Evangelho, porquanto a melhor resposta que se pode dar ao mal é o bem que se faz a quem lhe padeça a dominação infeliz.

24

TERAPIA DESALIENANTE

Guardando no imo da vida o atavismo animal, portanto, a herança dos instintos agressivos, o homem revida ou procura sepultar os conflitos íntimos de qualquer natureza, tombando, irremissivelmente, nos estados alienantes.

Você, porém, pode modificar esse estado de coisas.

Seja sincero para com você próprio.

Jamais revide ofensas.

Quando agredido, desculpe. Se o agressor persevera na animosidade, a questão é com ele.

Agredindo alguém, logo que possa, rogue-lhe desculpas. Se o agredido não as aceita, o problema já não é seu.

Aprenda a perdoar.

Todos vivemos e aprendemos em função dos erros e dos acertos.

Aquele que hoje caminha em segurança, já experimentou dificuldades.

Quem agora se encontra em situação difícil, quando ajudado se erguerá com facilidade.

★

Não tenha constrangimento em asseverar que errou, tentando reparar o erro e recomeçando a experiência.

Ninguém logra uma realização equilibrada sem o contributo dos equívocos.

Se você recalca o conflito ou finge ignorá-lo, soterrando-o no inconsciente, ele surgirá em forma de transtorno neurótico, apresentando uma complexidade alienante que se expressa de variada maneira.

★

Se você transfere para outrem o motivo do seu aparente insucesso, realiza um mecanismo de projeção e continua alienado.

Se você prefere ignorar os conflitos e os desafios da vida, erguendo o seu próprio mundo, aliena-se, ainda, mergulhando no profundo poço da esquizofrenia.

Se você cai no arrependimento exacerbado, invadido pela mágoa, padecerá de depressão, num mecanismo de fuga, em lamentável alienação...

★

O que ocorre com você sucede com o seu próximo.

Dê-se oportunidade, todavia, ofereça o mesmo ensejo também a outrem.

A melhor terapêutica contra as alienações é o amor.

Com ele você compreenderá o problema da outra pessoa, experimentando a necessidade de perdoar e ajudar.

Quando alguém não se sente perdoado, cai no azedume injustificado e faz-se mais agressivo.

Aquele que não perdoa, a seu turno conduz *caligem* e sombra, igualmente se perturbando.

Use, portanto, a terapia antialienante do amor.

Desejando, porém, uma terapêutica preventiva, medite nas lições do Evangelho e siga num clima de vivência dos seus postulados.

Ninguém passa pela existência planetária sem a bênção das experiências negativas, donde se alçará para a aquisição das valiosas conquistas do bem.

Em qualquer circunstância, portanto, dispute a honra de amar, de servir e de perdoar, a fim de tornar-se detentor de saúde e de paz.

25

NÃO SE ALTERE

Seja qual for o problema que o surpreenda, não perca a serenidade.
A agitação altera o discernimento, impedindo a solução fácil e oportuna.

Sob a chuva de injustas acusações, mantenha a calma.
A irritação perturba a mente, complicando a dificuldade.

Diante do desequilíbrio dominante, preserve a harmonia íntima.
O desassossego produz distonias várias, que levam à alucinação, desarticulando os recursos geradores da ordem.

Na eventualidade da altercação, não se arroje na revolta.
A ira é corrosivo que sempre destrói aquele que a destila.

★

Ante o tumulto dos aturdidos e insensatos, sustente sua paz.

Em tranquilidade, as resoluções são melhores e as atitudes ponderadas.

★

Em face das insistentes insinuações da maldade dos outros, resguarde a sua confiança.

No clima de fé passam mais rapidamente os efeitos da leviandade, isto quando não se fazem inócuos.

★

Sua vida merece o melhor investimento, inclusive o do sacrifício.

Nada maléfico o perturbe nem o atinja.

Não se altere.

Calma é conquista, e de confiança deve ser a sua atitude mental em relação à existência.

As ações infelizes primeiro atingem aqueles que as praticam, e só posteriormente aos que lhes sintonizam nas mesmas faixas e ondas.

Seja fiel ao bem e a si mesmo, preservando sua paz interior em qualquer circunstância, haja o que houver, sem que se altere.

26

POSTULADOS SIMPLES

Na saúde, na doença – bom humor.

★

Na alegria, na tristeza – gentileza.

★

Na abundância, na pobreza – generosidade.

★

No aplauso, no olvido – humildade.

★

Na multidão, na soledade – honradez.

★

Na glória, na perseguição – equilíbrio.

★

No conhecimento, na ignorância – discrição.

★

No apoio, no apupo – coragem.

★

No poder, no cárcere – probidade.

No afã, no repouso – confiança em Deus.

★

Onde você se encontre, como esteja, com quem transite pelo caminho, não se afaste de Deus nem negligencie os postulados simples do bem.

27

DESTINO E FATALIDADE

Acentua-se que o destino é a força ciclópica a dirigir todas as vidas.

Ocorrências inditosas, aflições superlativas, insucessos contínuos, desaires, são denunciados como filhos do destino ingrato...

Apegando-se a esse fator tradicional, não poucas vítimas deixam-se arrastar incólumes na direção dos desastres, perfeitamente evitáveis.

Na tradição do pensamento pessimista, a infelicidade seria parte inexorável do destino, que elege uns em detrimento de outros, aos quais abençoa com a plenitude, facilita as conquistas brilhantes, premia com as alegrias incessantes.

Ledo engano!

Existe, sim, uma fatalidade para todas as vidas, que é a autoiluminação, a conquista do Reino dos Céus.

Você renasceu na Terra para triunfar sobre as heranças perturbadoras do período primário.

Você enfrenta dificuldades por havê-las semeado antes.

Você desfruta de bênçãos, a fim de fortalecer-se para as lutas de autossuperação.

Você padece dolorosas injunções familiares e sociais, porque a forja das transformações trabalha os *metais do ser*, amoldando-o para a construção da grei universal.

Você jornadeia em solidão, para treinar desenvolvimento íntimo dos valores da solidariedade.

Você contorce-se nas aflições e nas deficiências para recuperar-se do uso infeliz das faculdades nobres que destroçou.

Você chora enquanto outros sorriem, esquecendo-se do Amigo que mais verteu pranto do que alegrias quando esteve na Terra.

Você queixa-se de escassez porque desconhece o tormento da abundância nos que vivem o vazio existencial.

Você lamenta as incompreensões que lhe seguem no encalço, porque vive encarcerado no egoísmo.

Você anela pelas formosas concessões e esquece as dádivas naturais da Vida que outros não fruem: a visão, a audição, o tato, o olfato, o paladar, a sensibilidade, desconsiderando as mil glórias da Natureza à sua disposição.

Saia da concha da autocompaixão e sorria, participando do festival do tempo de que dispõe.

Você está fadado à conquista do universo.

Ninguém alcança o platô da montanha sem vencer o vale e as anfractuosidades da rocha na sua ascensão.

Nunca olvide que você se encontra amparado por Deus.

Aproveite cada momento da existência e trabalhe pela conquista da sua fatalidade: a harmonia plena!

28

CONSTRUA A PRÓPRIA PAZ

A existência terrestre tem por finalidade desenvolver os sublimes dons da inteligência e da moralidade que se encontram adormecidos no cerne do ser.

A Terra, desse modo, é uma escola de bênçãos que proporciona a aprendizagem que capacita o Espírito a evoluir incessantemente.

Como é natural, nem sempre a conquista dos inalienáveis bens faz-se com facilidades ou sorrisos.

Todo aquele que pretende alcançar os elevados patamares, atravessa as regiões penosas das baixadas.

O fortalecimento é adquirido, portanto, etapa a etapa, consolidando-se sempre à medida que são vencidos os desafios.

Você renasceu para tornar o objetivo existencial significativo, alcançando-o com galhardia.

Não relacione dificuldades que fazem parte do percurso, antes as solucione com paciência e persistência.

Todo aquele que se queixa demonstra imaturidade psicológica, autocompaixão, distanciando-se do esforço para superar os problemas que constituem avanços na jornada.

A sabedoria é adquirida mediante a conquista do conhecimento e o desenvolvimento dos sentimentos de nobreza, nos testes do dia a dia.

Enfrente cada desafio considerando-o degrau a conquistar na escada da ascensão.

O tempo perdido na reclamação ou relegado ao desencanto é prejuízo na conquista do êxito.

Todos os indivíduos passam por semelhantes complexidades perturbadoras, e aqueles que hoje estão liberados, assim se encontram porque as venceram com luta bem-direcionada.

Não interrogue: *por que eu sofro?*

Diga: *por que não eu?*

★

Quando se enfrenta qualquer impedimento, ele passa a ter a dimensão que lhe é atribuída.

O homem de bem, lutador e confiante em si mesmo, ao invés de entregar-se à lamentação ou à revolta, procura os meios próprios para o enfrentamento, logrando superá-lo, certamente ao preço de renúncias e sacrifícios.

Nada obstante, aquele que se permite a autocompaixão, transforma em impossibilidade o que é solucionável.

Quando houver caído em desacerto ou sofrer consequências de algum erro, recomece o trabalho de renovação com o entusiasmo da primeira hora.

Agora você conhece o método que se torna eficaz, como aquele que não contribui para a realização.

Não ceda à comodidade na bênção do crescimento interior.

A paz é conquista pessoal, intransferível, conseguida com luta e resolução. Ninguém a pode dar.

Jesus oferece-a, porém, àquele que pensa corretamente, fala com dignidade e age com elevação moral.

★

Seus atos, sua vida.

Você é tudo quando produz.

Não cesse de servir nem de aprender.

29

DECÁLOGO PARA A PAZ

1 – Mantenha a irrestrita confiança em Deus em qualquer circunstância ou diante dos mais variados e graves desafios.

★

2 – Cultive a paciência, considerando que existe um programa de natureza superior, que estabelece e orienta os acontecimentos existenciais.

★

3 – Permaneça receptivo ao amor, cumprindo os seus deveres, sejam quais forem as condições em que se apresentem.

★

4 – Reserve-se algum tempo diariamente para a reflexão em torno da existência.

★

5 – Estabeleça um roteiro íntimo para manter-se vinculado à transcendência.

★

6 – Faça do trabalho dignificante o valioso recurso de crescimento humano, social e intelecto-moral.

★

7 – Não se permita agasalhar ressentimentos, suspeitas infundadas, ciúme, despeito, ódio, porque envilecem o caráter e atuam como tóxicos destrutivos nos arquipélagos neuronais.

★

8 – Evite os pensamentos pessimistas, os de julgamentos severos em relação aos outros, que ressumam amargura e revolta.

★

9 – Contribua com o mínimo que seja para que o mundo se torne melhor, doando-se quanto lhe esteja ao alcance.

★

10 – Faça da oração o instrumento sublime de comunhão com Deus.

★

A paz é construída com esforço e, para ser preservada, exige vigilância no bem e manutenção dos ideais elevados.

Não se trata, porém, de uma situação parasitária ou sem ação.

Pode-se fruí-la na tempestade ou na harmonia ambiental, sob os açoites do sofrimento ou as blandícias da saúde.

É um estado dinâmico de constante equilíbrio.

Disse Jesus: *"A minha paz vos dou"* – como recompensa à consciência tranquila, à emoção harmonizada e às ações corretas.

30

ANTE A PRECIPITAÇÃO

Jamais precipite conclusões prejudiciais.

Aprenda a ouvir serenamente, considerando que nem todas as pessoas têm facilidade para explicar com clareza o que deseja dizer.

Evite agir quando se encontre sob o impacto da ira, da mágoa ou da desconfiança.

Não se precipite, reagindo sob a pressão do desconforto interior.

Habitue-se à disciplina de aguardar o momento próprio para definir-se em relação a qualquer ocorrência.

Atitude precipitada – dano à vista.

Não acredite em vitória sem a valiosa contribuição do esforço e do tempo.

Êxito com pouco trabalho é construção sem alicerce que logo rui.

Controle os impulsos da violência e direcione para o bem a sua agressividade.

Atitudes precipitadas defluentes do desequilíbrio geram reações danosas.

★

Aprenda a esperar.

O que hoje não sucede encontra-se a caminho.

Quando se precipita o amadurecimento do fruto, o seu sabor perde em qualidade.

★

Não salte etapas do processo de qualquer realização para ganhar tempo ou por desinteresse.

A pressa para alcançar o fim diminui a qualidade do empreendimento, quando não deixa a compreensão incorreta.

Aja sempre com calma, após o contributo da reflexão.

Quando se tomam decisões precipitadas, as soluções são incompletas.

★

Não force acontecimentos fora do seu curso, no tempo e no espaço.

Precipitação e distonia emocional encontram-se de mãos dadas, desarmonizando as criaturas.

A grande sequoia atinge as alturas milímetro a milímetro.

As galáxias grandiosas formam-se da poeira das estrelas.

Tudo no Universo obedece a um ritmo de ordem, mesmo o aparente caos, que é visto de maneira equivocada.

Desse modo, viva com serenidade, porquanto o tempo sempre passa de maneira inexorável.

31

AUTOCONFIANÇA

O Reino de Deus – disse Jesus – está dentro da cada um de nós.

Busque-o mediante a interiorização.

Ele não possui aparência exterior, mas se manifesta em suave e doce alegria de viver.

Você está fadado à plenitude.

Jamais duvide a respeito da meta que deverá ser alcançada com todo o empenho.

O sofrimento não é punição divina, mas fenômeno transitório para as conquistas e preservação da saúde e do júbilo.

Quando a dor o visitar, pergunte-se o que ela lhe está desejando dizer e descobrirá que algo de relevante importância está necessitando de retificação.

★

Jamais duvide do amor de Deus.

Ele que cuida das flores do campo, das aves do céu e dos peixes das pagas, não deixará de atender também as suas necessidades.

Rejubile-se sempre, evitando a carantonha e o mau humor.

Há muito mais alegrias, belezas e cânticos na existência do que motivos de desaires.

Agradeça a Deus a dádiva da existência conforme se lhe apresenta, e não como você gostaria de vivê-la.

Somente crianças anelam por jogos e carícias incessantes.

A aspereza da jornada invariavelmente promove o indivíduo, enquanto o prazer quase sempre lhe amolenta o caráter.

O seu é o caminho de ascensão da Terra na direção do Infinito.

Somente alcança o acume do monte aquele que não teme a altura e, passo a passo, vence os desafios das encostas, das escarpas e dos abismos.

Ao alcançar, no entanto, o ápice, a beleza da paisagem compensa toda a dificuldade enfrentada.

Rume, portanto, na direção dos planos elevados, superando os impedimentos do vale carnal por onde transita.

32

ANTE A INSOLÊNCIA

Cuidado com a insolência das criaturas, não se permitindo atingir pela sua soberba.

O insolente perdeu o contato com a realidade e supõe-se melhor do que os demais.

Quando se sentir sitiado pela insolência dos naturais adversários do Bem, mantenha a calma, não lhe cedendo espaço emocional ou mental para a instalação da sua crueza.

O insolente acredita que tudo pode e, como efeito natural, ataca indiscriminadamente tudo e todos que se lhe apresentam em melhores condições.

Ao abraçar o programa de evolução espiritual, serás agredido pela insolência dos que se comprazem nos vales da presunção, armados contra tudo que os incomoda.

A insolência é morbo de fácil contágio, mediante a onda mental perturbadora que emite.

Desperto para a vida, entendendo-a no seu profundo significado, você percebe que é necessário mudar de atitude, empreender esforços para alterar o rumo da existência e contribuir em favor da sociedade ainda aturdida.

A insolência dos dominadores da opinião voltar-se-á para agredi-lo, utilizando-se de métodos incompatíveis com a ética. Não perca tempo em discutir os seus objetivos, prosseguindo, intimorato.

Não poucas vezes, no ambiente em que você se movimenta, encontrará insolentes e cínicos, que zombarão da sua sinceridade ao dedicar-se aos ideais superiores da vida.

A insolência não perdoa aqueles que conquistam espaços evolutivos.

Há muitos insolentes disfarçados de generosos, que se encarregam de gerar problemas e dificuldades onde se encontram.

A insolência é enfermidade da alma.

O antídoto para superar o comportamento do insolente é a humildade, não o revide.

A insolência dispõe de variadas máscaras com que se disfarça de lealdade e de gentileza, exigindo cuidado e atenção das suas vítimas.

Seja simples, adotando a gentileza e a amizade em todos os momentos da existência, conseguindo fugir à interferência da insolência, que discretamente se insinua no comportamento e termina por solapar os melhores propósitos da criatura humana.

33

SEU COMPROMISSO

O seu é o compromisso com o Bem.

Não lhe importem os impedimentos que surgem, ameaçadores.

Se alguém o maltrata, não lhe aceite a agressão e mantenha-se em irretocável harmonia interior.

O que fizer, seja para a aquisição da plenitude e não para o agrado dos frívolos.

Você não será melhor se elogiado, nem se tornará pior quando combatido.

Preserve a consciência do objetivo existencial.

Toda luta impõe esforço e até mesmo sacrifício.

Não desfaleça porque se encontra desgastado.

Renove as energias mediante a prece e permita-se o entusiasmo de quem se encontra no rumo certo.

Ante os conflitos que o assaltam, sobreponha o ideal pela conquista da plenitude e reflexione que esta é a colheita do ontem equivocado.

Produza para o amanhã com os olhos postos na beleza.

Os problemas de hoje, quando resolvidos, serão bênçãos para o futuro.

Não se irrite por ter que os enfrentar.

★

A maioria das pessoas aguarda o deslumbramento com as posses e as ilusões do exterior.

Eduque os seus olhos para produzirem a perfeita visão.

Já notou a harmonia e estética de humilde cebola cortada ao meio?

Torne os seus ouvidos conchas que somente captem as músicas portadoras de tranquilidade.

Há olhos que somente veem sombras, detendo-se nos monturos, e ouvidos que apenas captam ruídos de catástrofes.

★

Use o verbo para louvar, agradecer e construir.

Evite pedir, tornando-se benfeitor ao invés de beneficiado.

Normalmente a palavra é utilizada para maldizer, queixar, lamentar.

Nunca se faculte vestir-se de autocomiseração, criando problemas que não têm fundamento.

O seu é o compromisso com as soluções e não com as complexidades existenciais.

★

Acenda luzes na escuridão, plantando sementes de alegria no solo dos corações. Antes, porém, seja feliz, jovial e fiel ao seu compromisso.

34

A PRESENÇA DO DESÂNIMO

Há dias em que você tem a impressão de estar carregando um fardo mais pesado do que as próprias forças.

O desânimo ameaça-o de maneira perversa e, por mais procure fugir do seu envolvimento, tudo conspira para que não o consiga.

Embora haja orado, parece-lhe que o recurso abençoado dessa vez não funcionou como deveria.

Que se está passando com você?

Será, por acaso, um surto de distimia?

Você raciocina, intenta encontrar a causa do mal-estar, do fenômeno perturbador e não logra identificá-lo.

Recorda-se que se deitou com um excelente humor e, nada obstante, ao despertar, os sintomas desagradáveis passaram a inquietá-lo.

Tudo quanto antes era alegria, repentinamente perdeu o encanto.

Programas em elaboração que lhe produziam adrenalina estimulante, não mais lhe proporcionam qualquer emoção de prazer.

Falsa necessidade de repouso toma-lhe todo o corpo.

Provavelmente é um fenômeno distímico em instalação, que resulta de alguns conflitos não solucionados, talvez de uma depressão mascarada nas suas raízes, que se tornou crônica e você não soube administrar.

É provável que se trate, por outro lado, de alguma perturbação orgânica, defluente de problemas digestivos ocorridos durante a noite.

Também não se pode descartar a possibilidade de encontros espirituais negativos durante o natural desdobramento pelo sono, intoxicando-o espiritualmente.

Igualmente pode provir de pertinaz assistência negativa de Espíritos adversários que encontraram alguma brecha emocional para interferir no seu pensamento, no seu estado de ânimo.

Pode ser resultado da absorção de energias deletérias que o alcançaram, provenientes de amigos inamistosos reencarnados e que pertencem ao seu círculo de relações pessoais.

O cérebro humano é uma usina possuidora de inúmeras antenas captadoras e receptoras de ondas procedentes de outras que se lhe equivalem.

Vivendo-se em uma psicosfera mórbida, é inevitável que se assimilem vibrações de baixa frequência portadoras de *vibriões mentais* que delas se nutrem.

O intercâmbio entre psiquismos diferentes, mas que se encontram na mesma faixa vibratória, é muito maior do que se pode imaginar.

Sempre quando há sintonia por afinidade, por identificação de propósitos, por interação emocional, ocorrem intercâmbios mentais.

Tudo é resultado de situações idênticas.

Quando assim você se encontre, de imediato reaja, porque não é o seu estado natural, portanto, algo de errado está acontecendo, e, antes que se agrave, procure solucionar.

Inicialmente, busque o concurso da oração que o elevará a outro nível de sintonia espiritual, enquanto será reabastecido de energias saudáveis provenientes da Fonte do Amor Inefável.

Logo depois, cuide de banhar-se e movimente-se, realizando qualquer atividade de natureza física, a fim de auxiliar a libertação dos miasmas vibratórios que se encaixaram no cérebro.

Assim que se sinta melhor, leia uma página edificante e procure manter o pensamento na faixa do Bem.

Não se permita continuar com a mente turvada pelas vibrações perniciosas.

É natural que lhe aconteça esse fenômeno vez que outra.

Estando na Terra, que se encontra sob camadas vibratórias perturbadoras, resultado das mentes em desalinho e das paixões desgovernadas, a sua psicosfera se encontra tóxica.

Inevitavelmente, você, num ou noutro momento, se contaminará.

Desejoso de ser feliz e cultivando os sentimentos nobres, não se permita o luxo do desânimo, porque você está reencarnado para agir e produzir sempre.

35

AMOR SEM FRONTEIRAS

O mais sublime do amor é que ele vence o túmulo e prossegue mesmo quando o portal de cinzas dilui a forma do ser querido.

Enquanto se vive na companhia de um afeto, a existência adorna-se de belezas incomuns e faculta encantamentos emocionais enriquecedores.

Projetos e aspirações adquiriram significado emocional que persiste mesmo após qualquer experiência fracassada, porque um ser auxilia o outro na compreensão do que ocorre, atuante e devotado para tudo de novo recomeçar.

A presença física entusiasma e enseja metas de reencontros para balsamizar a saudade, socorrer na aflição, dirimir equívocos, favorecer entendimento ante os desafios e enigmas existenciais.

Nesse enlevo, as discussões são rápidas e passam sem deixar conflitos, amenizadas pela ternura existente e pela certeza da afetividade estimulante.

Não ocorre que a desencarnação, sempre presente na organização fisiológica e no passar dos dias dourados e menos brilhantes, espreita com avareza.

E, de um para outro momento, sem aviso prévio, quando não se manifesta através de qualquer enfermidade, arrebata com violência o ser querido, silencia sua voz, paralisa seus movimentos, tira o brilho dos seus olhos, rouba o calor do seu corpo e enregela-o.

Todo aquele equipamento orgânico, parecido a um sublime tesouro organizado, começa a diluir-se, a decompor-se, a desaparecer...

A ave triste da morte enlaçou o amor e o conduziu no rumo do Mais-além...

Tudo muda de aspecto: a natureza parece participar da angústia daquele que ficou e chora a saudade, a separação, a solidão.

Não mais se ouve o canto da voz melodiosa do seu carinho, nem os olhos fulgurantes de sol, nem os braços aquecidos e aquecedores que envolvem e acariciam.

Uma estranha sensação de nada mais pode ser feito, além do cultivo das lembranças e das evocações dos momentos, alguns dos quais não foram devidamente aproveitados, nem vividos tão intensamente quanto mereciam.

Remorsos de pequenas desavenças, agora tão sem importância que entristecem, dores por não haver dito tudo quanto agora tem atravessado na garganta para dizer, mas que fica emudecida, expressões de gratidão que já não podem ser enunciadas...

Nada obstante, assim pareça, o amor não tem fronteiras.

A morte não o interrompe, porque os seus liames são muito fortes e permanecem em ondas de vida ligando aqueles que se interdependem.

Se a morte destruísse a vida, não haveria qualquer motivo para que esta existisse, porque o nada jamais poderia produzir tanta magia e encantamento para logo destruir.

Assim, permaneça amando o ser inolvidável que o antecipou na viagem de retorno ao lar, onde prepara o domicílio da união para não mais haver separação.

Viva, agora, em memória desse afeto incomum que enriqueceu a sua existência de luz e de esperança, de forma que lhe seja possível captar-lhe o pensamento, sentir-lhe as emoções, perceber-lhe a presença diáfana, mas embaladora.

Transforme o crepúsculo dos seus dias em amanhecer de esperança no reencontro, preparando-se intimamente para o momento da sua libertação.

Em memória do amor sem fronteiras, distenda a generosidade e a simpatia com todos que encontre, preencha o vazio existencial de outrem que também sofre a mesma melancolia com a mensagem de encorajamento feita de certeza em torno da imortalidade.

A vida sempre triunfa sobre todas as situações porque é de caráter imortal desde quando criada.

Prossiga de tal forma que o afeto do seu coração experimente alegria imensa por acompanhar o seu progresso e também tenha estímulo para avançar pela via redentora além do corpo, de modo que a ambos seja concedida a plenitude espiritual, que Jesus muito bem denominou como o *Reino dos Céus*.

36

SERENIDADE E CONFIANÇA EM DEUS

Estas duas alavancas do progresso, serenidade e confiança em Deus, nunca podem faltar no ânimo de todo aquele que deseja alcançar a plenitude.

As lutas do processo evolutivo são muitas e a predominância do *ego* na criatura humana ultrapassa, muitas vezes, o autocontrole diante das situações que exigem equilíbrio e discernimento.

Em um momento, ocorre algo inesperado e desastroso, que se pode transformar em fracasso ou experiência autoiluminativa, a depender da maneira como você administre a ocorrência.

Noutra ocasião, apresentam-se desafios emocionais e morais que normalmente levam os indivíduos frágeis a sucumbir, a abandonar a luta, a sofrer a perda da oportunidade anelada pela qual tentava encontrar o êxito.

Mas essas são ocorrências normais, e somente sucedem porque você está no campo dos esforços redentores.

Assim sendo, não perca a serenidade nunca, seja qual for o grau do desconforto de que se veja objeto, e, ao mesmo tempo, mantenha a confiança em Deus, a fim de preservar a existência.

Quando não se vivem as dificuldades do trabalho em que todos estão empenhados, não há como alcançar o desenvolvimento mental e a maturidade emocional. A infância espiritual permanece, impede que os enfrentamentos sejam bênçãos, mesmo quando os resultados não são os anelados. Os insucessos de um momento podem ser transformados em vitória, noutra ocasião. Sem eles, muito raramente se pode alcançar o triunfo sobre as paixões, as tendências negativas que predominam em a natureza humana.

Todo o empenho é necessário para que se concretizem os ideais superiores que exornam a existência humana com dignidade e elevação moral.

Os que temem avançar permanecem nos baixos níveis sem alcançar as percepções superiores da vida.

Se você detém o passo na marcha, em tentativa de evitar perigos e insucessos, o estacionamento já é, em si mesmo, uma perda de tempo e um agravante no compromisso de ascensão.

A serenidade contribui para a melhor compreensão da responsabilidade e a clara visão do que você deverá fazer, quando se depare numa encruzilhada de dificuldades. Simultaneamente, a confiança em Deus, cujo apoio nunca falta, irá lhe constituir o estímulo para prosseguir, entendendo que retroceder e deixar de insistir significam prejuízos no cometimento.

A glória de todo herói foi conquistada com sacrifício, e ninguém consegue atingir o patamar superior de qualquer ascensão, sem o concurso da superação do degrau inferior.

Não se deixe abater diante do sacrifício que lhe facultará inefável alegria, compensando-lhe todo o esforço encetado.

Estabeleça diretrizes para a realização dos objetivos essenciais da existência, programando-se para atender a todos os impositivos, mesmo aqueles que não são agradáveis nem compensadores de início.

A tempestade que destrói é a mesma que beneficia a atmosfera, limpando-a de agentes outros igualmente destrutivos.

Desse modo, não titubeie na dúvida de entregar-se a Deus, a fim de que a serenidade permaneça na sua mente e no seu coração.

Avance, portanto, e conquiste, palmo a palmo, o terreno emocional e espiritual à sua frente, na expectativa de vencer-se e triunfar sobre todas as situações aflitivas.

37

REDESCUBRA-SE

Há dias em que tudo parece conspirar contra a sua paz.

Realizações em andamento emperram e tomam vulto, dando a impressão que não irão adiante conforme antes se expandiam.

Sensações estranhas tomam conta do seu corpo, e as emoções disparatadas apresentam-se ameaçadoras.

Concomitantemente, ocorrências banais avolumam-se e convertem-se em problemas de solução difícil.

Há dias em que o seu humor, normalmente jovial, torna-se negativo, e o estado d'alma expressa-se assinalado pelo desencanto.

Nesses dias, você pergunta-se qual é o sentido da existência, sentindo-se saturado, embora o conheça.

Nessas ocasiões, o organismo ativo no trabalho, e a ele acostumado, nega-se a agir com a indispensável disposição para o serviço.

A rotina que é quase despercebida faz-se-lhe tediosa, e você deixa-se arrastar sem coragem nem alegria para as tarefas que sempre lhe proporcionaram prazer.

Esse estado íntimo ressuma amargura, e você gostaria de alienar-se, de fugir dos deveres como se essa fosse a melhor solução.

★

Diante de tal fenômeno perturbador, o desânimo se lhe acerca e, à semelhança de uma ave negra, pousa sobre você e o envolve quase que totalmente.

Em consequência, você se encontra pessimista e as lentes pelas quais observa o mundo estão escuras e dificultam-lhe a visibilidade.

O que antes lhe proporcionava bem-estar e alegria, nesta circunstância é desagradável.

Você diz que ora e a prece não resolve a situação emocional.

★

Esse estado d'alma pode ser decorrente do estresse pela falta de oxigenação da alegria, pelo cansaço.

Talvez seja interferência espiritual negativa, no árduo combate do processo evolutivo.

Não se permita ceder-lhe espaço na mente, tampouco no sentimento.

★

Evite a hora vazia que, em tais circunstâncias, faculta a telepatia deprimente e que procede de Espíritos enfermos.

Leia um livro edificante ou faça algo diferente do habitual, quebrando a rotina.

Interrompa o período que se vai alongando nas suas paisagens íntimas.

E ore sinceramente, com emoção e certeza do divino amparo.

Você possui tesouros valiosos que não tem sabido utilizar como seria de desejar.

Ninguém transita no corpo sem vivenciar essas experiências afligentes.

Na sua condição de humanidade, você está sujeito, como todos os demais, a sofrer essas situações danosas.

Quando você sentir a sutil presença desses sintomas, muitas vezes resultado da psicosfera densa e doentia que você absorve, autoestimule-se e reaja.

Você está na Terra para alcançar as estrelas.

Toda caminhada pelo vale terrestre está sujeita a injunções complexas e atormentadoras.

Redescubra-se!

Fixe o pensamento em Jesus e não se entregue a falsos repousos, a férias de futilidade, a passeios pelo país da fantasia.

Altere o organograma de atividades e preserve a certeza de que não se encontra a sós no empreendimento da autoiluminação.

38

IRASCIBILIDADE

Proverbial e exato o conhecimento de que tudo quanto acontece ao ser humano procede das realizações do Espírito em si mesmo.

Todas as aflições e infortúnios, enfermidades e distúrbios procedem das nascentes espirituais como reflexos do comportamento experienciado entre deslizes morais e ações nefastas. Nada obstante, o impositivo da matéria produz, não raro, determinadas condutas perturbadoras que poderiam ser evitadas.

Você está programado pela Vida para a harmonia.

A sua constituição orgânica, defluência das conquistas evolutivas espirituais, funciona em extraordinário ritmo de equilíbrio, e toda vez quando uma célula desarmoniza-se, a engrenagem física de que faz parte desorienta-se e abre espaço para enfermidades e transtornos.

Você deve tornar a sua existência mais produtiva e prazerosa. Entretanto, neste dias de individualismo e de excesso de informações, você se encontra estressado.

O organismo necessita de tempo suficiente para o refazimento decorrente dos desgastes produzidos pelas atividades. No entanto, em face do acúmulo de ocorrências, o tempo de que dispõe não lhe permite espaço repousante, e você, desejoso de atender a tudo e a todos, diminui as horas de lazer e de sono. É natural que lhe advenham a irritação e a impaciência.

Noites maldormidas, dias de ansiedade e mal-estares.

Revise a sua agenda de compromissos, administrando-os com sabedoria. É mais fácil manter a saúde do que recuperá-la, quando se instala a enfermidade.

Considere a possibilidade de um transtorno depressivo ou de mau funcionamento de algum órgão e verifique o prejuízo que advirá na área das suas responsabilidades pela dificuldade de poder atendê-las.

Desse modo, cultive a alegria, o sorriso jovial, graças aos quais o seu organismo produzirá mais imunoglobulina que lhe proporcionará melhor digestão e saúde.

Pare, periodicamente, para a introspecção, a autoanálise.

O turbilhão empurra na direção do abismo.

Aprenda a respeitar os próprios limites.

A qualidade do trabalho é mais importante do que a quantidade.

Não se suponha indispensável, porque após a sua desencarnação, tudo continuará em ordem, embora com a sua ausência física.

★

A irritabilidade perturba o equilíbrio da glicose no organismo, e a alternância da impaciência e do reequilíbrio entre as descargas de adrenalina e de cortisol facultam distúrbios circulatórios, digestivos, emocionais.

A máquina física necessita de estar bem engrenada para que o Espírito bem a conduza.

Cansaço que alarga, descompassos na conjuntura orgânica.

★

Não leve preocupações para o travesseiro resolver à hora de dormir.

Habitue-se à serenidade, no momento do repouso pelo sono.

Durma o suficiente de acordo com a sua necessidade, e durante o tempo de vigília, por encontrar-se bem-disposto, será muito mais rendoso.

A qualquer preço de esforço e autocontrole impeça a irritabilidade que desnorteia.

Tudo quanto se diz torna-se relevante e significativo, e, no momento da irritação, exteriorizam-se as *feridas* íntimas, enquanto que o silêncio, o não dito, são de relevância para a harmonia.

Você jamais se arrependerá pela conduta de paz, mas lamentará em algum dia o destrambelho provocado pela irritação.

★

Você renasceu para regularizar débitos, crescer pelas experiências da dignidade e da luta em favor do bem.

Ame-se, arquivando as experiências positivas e diluindo as perturbadoras nas suas paisagens mentais.

Quanto possível, a fim de alcançar a plenitude que deseja, faça-se servidor e notará a excelência da sua escolha nesta cultura constituída por aqueles que se comprazem apenas quando são servidos.

A paciência auxiliá-lo-á a viver em harmonia, portanto, livre da irritabilidade.

39

AS BÊNÇÃOS DO AGORA

Desalgeme-se dos vigorosos elos do passado e rompa as amarras com o futuro.

O que foi feito deve servir de lição para o comportamento de agora, sem as evocações tormentosas em que muitos, inconscientemente, se comprazem, subestimando-se ao tempo em que a autoestima desaparece no mapa das experiências evolutivas. Tampouco aguarde que o futuro propicie os recursos próprios para a reparação inevitável dos erros.

O passado não pode ser anulado, mas através do agora pode ser diluído, enquanto o futuro é elaborado.

É de relevante importância este momento na sua existência, porquanto lhe faculta a oportunidade de refazer o que se torne necessário.

Todos são livres para edificar, e quando estão conscientes do significado existencial, mais bem equipados se encontram para agir de maneira segura e acertada.

É muito importante que você esteja desperto para cada momento da sua experiência iluminativa, em razão da possibilidade do bem fazer.

Não lamente os erros cometidos, nem tema os resgates inevitáveis.

Se você dispuser-se a agir sempre e sem descanso, a harmonia coroará as suas saudáveis aspirações.

★

Você programa atividades edificantes para o futuro e aguarda-o, enquanto perde excelentes ensejos de produzir agora.

Por outro lado, você se agasta com facilidade e aprisiona-se no ressentimento injustificável ou na censura contumaz.

Aprenda a amar, respeitando as suas paisagens íntimas e não revivendo cenas desagradáveis, nem se armando contra aqueles que você supõe lhe ofenderam.

O cristão não tem passado para remover, porque o processo de crescimento moral e espiritual é feito de equívocos e de acertos.

É princípio de sabedoria eliminar o mal na memória, a fim de ampliar os horizontes do serviço edificante e produtivo.

★

Cultive o silêncio quanto lhe esteja ao alcance.

Deus desvela-se àqueles que O buscam em quietude mental, quando um grande silêncio da alma cede lugar à Sua voz.

Aja com espírito de compaixão, como gostaria que os outros assim lhe fizessem e notará que o agora de paz se prolongará indefinidamente.

Há muitos ruídos nas telas mentais das criaturas, que cultivam o que lhes acontece ou que anelam por aquilo que talvez não lhes sucederá.

Faça sempre o melhor ao seu alcance com empenho e prazer. Jamais se arrependerá por assim ter agido.

Não desperdice o agora precioso nas observações negativas. As oportunidades não se repetem, pelo menos nas mesmas condições. Aprenda a utilizá-las, conquistando valores morais incessantemente.

Não aspire fazer o máximo, traindo o seu orgulho e presunção que o possuem.

O discurso é resultado de cada palavra, que começa na primeira enunciada, assim como a gloriosa sinfonia é resultado de cada nota musical.

Pouco a pouco, passo a passo, avance...

A meta está à frente e cada pequena conquista mais o aproxima da vitória.

Quem pretende construir o *Reino de Deus* no coração supera o passado e não se preocupa com o futuro, seguramente fixado no agora.

40

O TORMENTO DA CULPA

Ao dar-se conta do erro cometido, todo aquele que se conscientiza da realidade passa a experimentar tormentoso constrangimento que se transforma em aflição.

O nascimento da culpa na consciência é sutil e delicado, num significado de elevação moral e de crescimento para a verdade.

Quando desponta, começa a amargurar enquanto se converte em ideia fixa, a caminho de transtorno emocional.

Esse momento, embora tormentoso, possui um grande significado na economia evolutiva do ser humano.

São muitas as circunstâncias que induzem ao delito, aos equívocos, às ações reprocháveis, nem sempre detectadas pelo agressivo ou dissimulador.

Não se justifica a prática da mentira, ainda mais quando nela se persiste, do engodo, da desonestidade, do crime. Ocorre em razão da inferioridade moral do Espírito que lhe traz as matrizes hediondas desde existências passadas.

Repontam com vigor e impõem-se como novos hábitos que se insculpem no comportamento doentio.

Depois de praticados geram situações embaraçosas, quando não produzem prejuízos e gravames perturbadores.

Passados os momentos infelizes, à medida que ocorre o processo de transformação moral para melhor, eis a culpa assediando, afligindo com vigor.

★

Você não poderá anular o mal que já fez, nem o ignorar. No entanto, você dispõe da oportunidade de repará-lo.

Se houver ocasião de refazer o caminho, corrija a infração, retifique o equívoco.

Se não ocorrer momento para tanto, recomece em termos corretos, aja com retidão.

Você não poderá retroceder para anular o mal que foi praticado, mas dispõe de recursos para edificar o futuro.

Pratique todo o bem ao seu alcance e confie na misericórdia de Deus.

Você pode recompor-se, atuando com novo e saudável comportamento.

Afastados da mente a ilusão do triunfo e o júbilo da vanglória, estabeleça novas metas e recomponha-se.

O Senhor não deseja a morte do ímpio, mas espera o desaparecimento da impiedade.

Dilua a culpa mediante as propostas de não mais errar e das ações dignificadoras em construção de uma nova conduta.

★

As Leis de Deus estão fixadas na consciência humana, o que faculta inevitáveis avaliações que proporcionam o aplauso ao bem e o repúdio ao mal.

A culpa é um pássaro negro de asas fortes que pousa na vítima e lentamente a esmaga.

Reaja a esse sentimento autopunitivo com lucidez e alegria em face do poder de que dispõe para a reparação dos erros.

Há depressões que induzem ao suicídio sob a constrição da culpa cuja função é despertar para o comportamento eficiente e não para a destruição do infrator.

Confie na mensagem de Jesus sobre o amor, inscreva-a no coração e reinvente-se, renascendo dos escombros para viver em paz e ser feliz, ao tempo em que se reabilita.

Enquanto a existência estua, as oportunidades de enriquecimento multiplicam-se.

Agora, portanto, é o seu momento de renovar-se, de reparar, sem o tormento da culpa.

Este livro foi impresso na
LIS GRÁFICA E EDITORA LTDA.
Rua Felício Antônio Alves, 370 – Bonsucesso
CEP 07175-450 – Guarulhos – SP
Fone: (11) 3382-0777 – Fax: (11) 3382-0778
lisgrafica@lisgrafica.com.br – www.lisgrafica.com.br